# LA RÉFLEXOTHÉRAPIE

# LA RÉFLEXOTHÉRAPIE

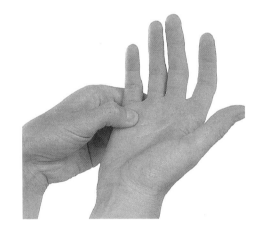

## ROSALIND OXENFORD

Traduit par Gisèle Pierson

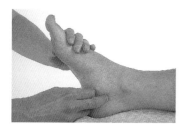

Édition originale 1997 au Royaume-Uni
par Lorenz Books sous le titre *Reflexology*

© 1997, Anness Publishing Limited
© 1999, Manise, une marque
des Éditions Minerva (Genève, Suisse),
pour la version française

Éditrice : Joanna Lorenz
Responsable du projet : Helen Sudell
Graphisme : Bobbie Colgate Stone
Photographies : Don Last
Illustrations : Michael Shoebridge
Mannequins : Elizabeth Alvey, Georgia Daniel, Jonathan May, Diana Wilson

Traduction : Gisèle Pierson


ISBN 2-84198-125-8

Dépôt légal : août 1999

Imprimé à Singapour

# SOMMAIRE

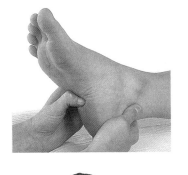

# INTRODUCTION

INSTINCTIVEMENT, NOUS UTILISONS NOS MAINS pour soulager les dysfonctionnements du corps. Si l'on se cogne la jambe, par exemple, on se frotte automatiquement la partie endolorie en diminuant ainsi la douleur par l'action des mains. Vous restaurez alors l'harmonie entre énergie, circulation et tension musculaire.

Nos mains nous servent souvent, dans notre jeune âge, à nous déplacer, mais elles deviennent rapidement un merveilleux instrument réservé à des activités spécifiques. Elles permettent notamment de soigner, de réconforter et de donner. Les mains sont utilisées dans de nombreuses thérapies naturelles. En réflexothérapie, elles servent à stimuler certains points, généralement sur les pieds et souvent sur les mains.

CI-DESSUS – La réflexothérapie permet de se soulager soi-même.

Il existe d'autres points réflexes, en particulier sur la tête, mais ils sont plus rarement sollicités.

Le mot réflexe vient du latin *reflexus,* réfléchi. Les points réflexes des pieds et des mains, «réfléchissent» toutes les parties du corps, externes et internes, les organes et les glandes, les membres, le thorax et la tête. Chaque point reflète l'activité d'une autre partie du corps. En médecine conventionnelle, un réflexe est une réponse spontanée à un *stimulus* reçu par un nerf, le message étant transmis par la moelle épinière, sans référence au cerveau, comme lorsque vous lâchez un plat brûlant.

En réflexothérapie comme en acupuncture, les zones ou les points correspondent à des organes du corps mais de façon moins évidente et moins directe.

La physique, la science qui étudie les propriétés de la matière et de l'énergie, à la base de toutes les sciences naturelles, nous a permis de cerner l'action de l'énergie. Les mêmes règles s'appliquent à notre corps, puisque nous somme soumis aux lois de la nature. En médecine naturelle, cette énergie est appelée énergie vitale, *chi* en Chine, *prana* en Inde et *ki* au Japon.

# HISTOIRE DE LA RÉFLEXOTHÉRAPIE

Le massage des pieds et des mains et la stimulation des points réflexes remontent à la nuit des temps, comme le montre le bas-relief d'un mastaba (monument funéraire) de Saqqarah, en Égypte, datant de 2 500-2 300 avant J.-C. La tombe est celle de deux prêtres du palais royal, sous la Vᵉ dynastie pharaonique.

Massage des pieds et acupuncture étaient associés en Chine antique, le pied étant tout d'abord traité pour stimuler tout le corps et trouver les régions perturbées, puis les aiguilles plantées en conséquence. Le massage des pieds était également pratiqué en Inde et en Indonésie, ainsi que chez les Indiens d'Amérique, qui considéraient le pied comme le lien entre le corps, la terre et les énergies telluriques.

En Europe, cette thérapie manuelle est utilisée depuis le Moyen Âge, mais il faut attendre le XXᵉ siècle pour que des Occidentaux à l'esprit curieux étudient avec un regard nouveau la sagesse et les pratiques des civilisations antiques. Parmi ceux-ci, le docteur William Fitzgerald, prouva que la pression et le massage de certaines zones avaient un effet bénéfique pour ramener à la normale les fonctions physiologiques perturbées des différents organes du corps.

Eunice Ingham établit une cartographie des zones réflexes du pied. Robert St-John fut le premier à explorer les effets psychologiques du traitement et Inge Gougans démontra l'analogie entre la réflexothérapie et la théorie des méridiens, que nous connaissons surtout à travers l'acupuncture et la «loi des cinq éléments» (principes de l'acupuncture chinoise traditionnelle).

CI-DESSUS – Bas-relief égyptien de la tombe de deux prêtres du palais royal, sous la Vᵉ dynastie, vers 2 500-2 300 avant J.-C. Deux hommes en soignent deux autres, l'un massant les mains, l'autre les pieds.

# COMMENT AGIT LA RÉFLEXOTHÉRAPIE

La réflexothérapie agit sur les régions du corps en stimulant avec les doigts les points réflexes correspondants. Lorsqu'il existe un dysfonctionnement ou une maladie, la congestion des zones réflexes se traduit par des cristaux qui se déposent au lieu d'être entraînés par la circulation veineuse et lymphatique.

Les zones du pied où se déposent les cristaux sont sensibles et parfois très douloureuses; elles peuvent être dures, tendues ou présenter des petites nodosités, comme des grains de sable. Si vous massez ces zones pour faire disparaître les cristaux dans la circulation, les régions du corps correspondantes seront stimulées et pourront enclencher un processus d'autoguérison.

## REPRÉSENTATION DU CORPS SUR LES PIEDS

Sur les deux pieds se trouvent les points réflexes du corps tout entier. La partie du pied qui correspond à la colonne vertébrale se situe sur le bord interne de chaque pied, le long de la voûte plantaire. Quand vous lirez ce chapitre, reportez-vous aux tableaux illustrant les zones réflexes correspondant aux organes du corps sur chaque pied (pages 60 et 61).

CI-CONTRE – Massage de la zone réflexe de la colonne vertébrale, le long du bord interne de chaque pied.

TÊTE ET COU

La tête est représentée par les orteils, le côté droit se trouvant sur le pouce droit et le côté gauche sur le pouce gauche. Bien que les gros orteils figurent toute la tête, des points réflexes spécifiques plus précis, sont situés sur les huit autres orteils.

La zone réflexe du cou se situe dans le «cou» ou creux de tous les orteils. Si vous ressentez une tension dans une partie du cou, la zone réflexe des orteils correspondante sera tendue, congestionnée et douloureuse. Le rapport entre la tête et les orteils peut parfois être difficile à concevoir parce que vous n'avez qu'une tête et dix orteils (ou seulement deux côtés de la tête et cinq orteils sur chaque pied).

THORAX ET COLONNE VERTÉBRALE

Il est plus facile d'imaginer que le thorax est figuré sur le pied, lorsque vous avez admis le fait que vos deux pieds sont la représentation du corps tout entier. Rappelez-vous que la colonne vertébrale se situe le long du bord interne des pieds, à leur point de jonction.

ZONES DES PIEDS

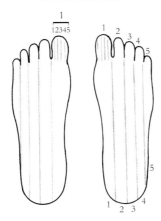

CI-DESSUS – Ce diagramme montre les zones du pied. Les gros orteils représentent toute la tête et se trouvent dans la zone 1. Le côté droit du corps est situé sur le pied droit et le côté gauche est situé sur le pied gauche.

CI-CONTRE – Les zones s'étirent verticalement sur le corps, de la tête aux pieds et aux mains, cinq de chaque côté. Le diagramme montre aussi les lignes transversales marquant les régions du corps.

ZONES DU CORPS

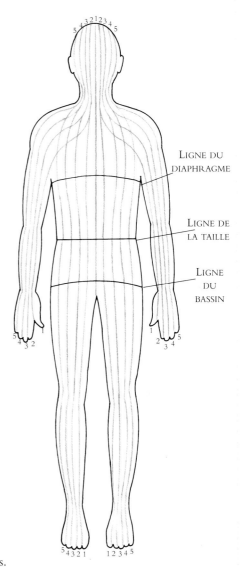

LIGNE DU DIAPHRAGME

LIGNE DE LA TAILLE

LIGNE DU BASSIN

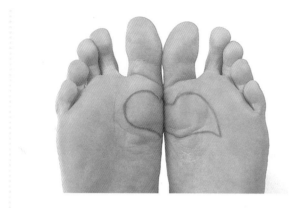

POITRINE

La partie antérieure de la plante de chaque pied représente un côté de la poitrine. On y trouve donc les points réflexes des poumons, du pharynx, du cœur, du thymus, des seins, des épaules et de tous les organes contenus dans la poitrine. Cette région est limitée par le diaphragme, zone réflexe importante se trouvant à la base de la partie antérieure de la plante des pieds.

ABDOMEN

Sur la courbure du pied, à l'endroit où il ne porte pas sur le sol, se situent toutes les zones réflexes des organes abdominaux, organes de la digestion indispensables à la vie. Cette région est limitée par la ligne du diaphragme en haut et la ligne du talon en bas.

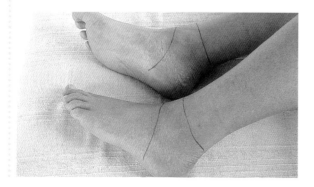

BASSIN

Le talon et la partie qui s'étend autour du pied contiennent les points réflexes du bassin sur la plante et les côtés du talon et en travers de la cheville.

MEMBRES

Les membres sont représentés sur le bord externe du pied, mais aussi et plus spécifiquement sur le membre supérieur ou inférieur correspondant. Aucune partie du pied ne ressemble aux membres alors que l'on peut plus aisément concevoir que la tête puisse correspondre aux orteils et le thorax à la plante du pied. Les bras et les jambes cependant, suivent la même structure de base et chaque membre contient les points réflexes de l'autre membre du même côté, appelés réflexes croisés.

Les épaules correspondant aux hanches et les hanches aux épaules, vous pouvez masser les épaules pour les problèmes de hanche et vice versa.

De la même façon, les coudes et les genoux correspondent.

Massez le poignet · pour un problème de cheville et vice versa.

Le pied et la main présentent des points réflexes croisés réciproques.

# BIENFAITS ET EFFETS
# DE LA RÉFLEXOTHÉRAPIE

La réflexothérapie a pour but de relâcher la tension musculaire. Au cours du traitement, toutes les parties des deux pieds sont stimulées pour détendre les muscles et accélérer la circulation dans toutes les régions du corps, ce qui entraîne un état de profonde relaxation.

Pour la réflexothérapie, thérapie holistique, le corps et l'esprit sont intimement associés et doivent être considérés comme un tout. Chaque événement, quel qu'il soit, se répercute sur tous les plans, que vous en soyez conscient ou non.

Si vous êtes stressé ou sous pression, vos muscles tendus et contractés empêcheront le bon fonctionnement de la circulation et du système nerveux. De même, la douleur provoquée par un accident physique, la façon dont il est survenu et les effets secondaires qu'il peut entraîner, affectera votre psychisme.

Même si en réflexothérapie, les massages concernent essentiellement les pieds, ils se répercutent sur tout le corps, à l'intérieur comme à l'extérieur. Ce

CI-DESSUS – En travaillant sur les mains (ou les pieds), vous travaillez sur le corps entier.

résultat s'obtient en stimulant les points réflexes des organes et des glandes internes, ainsi que ceux de la surface du corps. L'effet obtenu est apparemment plus intense en massant les points réflexes qu'en massant directement la partie du corps concernée.

Les douleurs dorsales, par exemple, peuvent être dues à un problème structurel : si les os sont déplacés, un ostéopathe spécialiste du crâne, un ostéopathe ou un chiropracteur doit le vérifier. Si la douleur vient d'un problème musculaire ou si la manipulation a déjà été effectuée mais que la tension musculaire subsiste, il faut alors identifier les muscles concernés et modifier cet état par le massage et la réflexothérapie.

Le massage possède un effet apaisant immédiat et profond mais la douleur et l'inconfort reviendront probablement quand les effets du massage auront disparu. En stimulant les points réflexes des parties correspondantes du dos vous stimulez également le corps de l'intérieur, et les résultats seront plus durables que si vous massiez directement et de l'extérieur les muscles concernés. Le massage réflexe d'une région affectée activera la guérison.

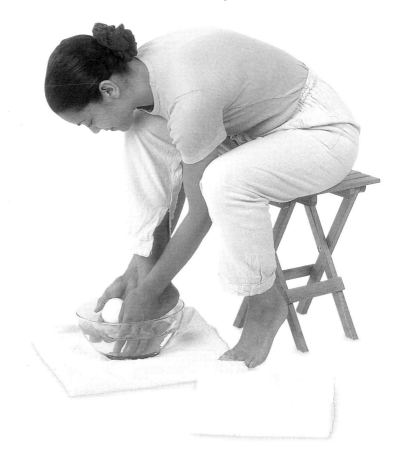

CI-DESSUS – Il est conseillé de se laver les pieds avant de commencer un traitement, pour nettoyer et rafraîchir la peau.

La réflexothérapie fait appel à la fois au massage et aux stimulations des zones réflexes spécifiques pour aboutir à un soulagement durable.

DIFFÉRENTES PHASES
D'UN TRAITEMENT
La réflexothérapie n'est pas un simple massage des pieds mais ce dernier en fait partie. Le large mouvement de

la main sur toute la plante du pied va détendre le patient et préparer le pied à la stimulation des points réflexes. Au cours de cette stimulation, le massage détendra et apaisera la zone congestionnée. Il assure un lien entre les différentes phases du traitement et permet de relâcher le corps entier tout en le rechargeant d'énergie, en même temps que sont traitées les parties spécifiques. Le massage général du pied est également bénéfique en fin de traitement réflexe pour apporter une sensation générale de bien-être au patient.

Une séance de réflexothérapie peut être à la fois relaxante et dopante. À mesure que les tensions musculaires disparaissent et que l'influx nerveux passe plus facilement, le corps se relâche dans un état de profonde relaxation. De plus, la circulation est activée et peut ainsi transporter les nutriments et évacuer les toxines, qui empêchent le bon fonctionnement du corps dans son entier et de ses différentes parties. L'énergie peut à nouveau circuler librement, en permettant aux différents systèmes de fonctionner de façon optimale et en provoquant une sensation de bien-être.

EFFETS RESSENTIS APRÈS
UNE SÉANCE DE RÉFLEXOTHÉRAPIE
Certaines personnes peuvent ressentir une sensation de fatigue et éprouver le besoin de se reposer, d'autres sont simplement détendues et assoupies. Beaucoup de patients se sentent profondément relaxés à la fin d'une séance mais récupèrent très vite une énergie décuplée.

RÉACTIONS POSSIBLES
Les toxines sont les déchets produits par l'activité musculaire mais viennent aussi de l'ingestion d'aliments industriels, de médicaments ou d'autres substances que votre corps considère comme étrangères ou qu'il refuse. Les toxines produites par le stress et par l'exercice musculaire normal font partie de ces déchets reconnus comme toxiques par le corps.

Si déchets et toxines sont nombreux, le corps va réagir pour éliminer

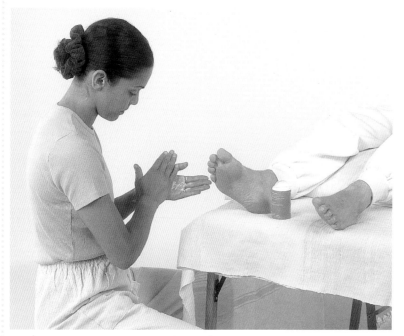

CI-DESSUS – En talquant légèrement les mains, elles glisseront plus facilement sur le pied.

CI-CONTRE – Le patient est souvent totalement relaxé après une séance de réflexothérapie.

les substances indésirables. Ces réactions peuvent se traduire par un écoulement nasal, de la transpiration, une fréquente envie d'uriner ou une légère diarrhée. Si ces « substances » indésirables sont des sentiments, vous pourrez faire preuve d'émotivité, avoir un sommeil agité, ou encore souffrir de maux de tête. Quelle que soit la réaction, elle constitue une « élimination » et représente un relâchement des tensions corporelles, preuve d'un meilleur fonctionnement du corps.

Ces réactions devraient disparaître après quelques heures ou quelques jours au plus, le corps retrouvant son véritable équilibre. Si vous ressentez un malaise général ou qu'une

maladie se déclare, sans rapport avec la relaxation du corps ou l'amélioration de ses fonctions, cet état n'a probablement aucun lien avec le traitement réflexe et il vaut mieux consulter un médecin.

AVERTISSEMENT

Si vous décidez d'essayer vous-même la réflexothérapie avec l'aide de ce livre, le sujet recevant le traitement doit être impérativement en bonne santé. Si une personne de votre connaissance est malade et désire être traitée par la réflexothérapie, elle doit s'adresser à un réflexologue professionnel. Ce dernier ne traitera jamais un patient sans vérifier au préalable sa condition physique et son passé médical ; s'il découvre une maladie ou un problème quelconque, il demandera à son client de consulter d'abord un médecin. Si vous désirez pratiquer la réflexothérapie sur une personne qui ne présente aucun trouble physique mais ne se sent pas très bien ou ressent l'un de ces petits maux quotidiens décrits plus loin, il est plus prudent, là encore et si ces troubles vous semblent sérieux, de consulter un médecin. Quoi qu'il en soit, utilisez la réflexothérapie en procédant avec précaution afin d'éviter des incidents indésirables.

# PRÉPARATION

Assurez-vous que la pièce où vous allez travailler est suffisamment chauffée et que vous ne risquez pas d'être dérangé par le téléphone, les allées et venues des vôtres ou de votre animal.

La personne dont vous traiterez les pieds doit se trouver dans une position confortable, étendue sur un canapé par exemple, le dos et la tête calés par des coussins, ses pieds devant vous. Si le patient est assis dans un fauteuil, installez ses jambes sur une chaise ou un tabouret, à la bonne hauteur, sur un coussin. Vous pouvez également lui proposer de s'allonger sur le sol (voir ci-contre). Assurez-vous que son dos, son cou et sa tête sont bien posés, pour ne pas entraîner de tension dans la colonne vertébrale, et que ses genoux sont légèrement pliés afin que la circulation s'effectue librement. Les jambes ne doivent jamais être tendues.

Si votre patient a mal aux pieds et que vous préférez travailler ses mains, il vous sera plus facile de trouver les réflexes en étant assis côte à côte et non face à face. De cette façon, ses mains seront placées dans le même sens que les vôtres quand vous pratiquerez l'automassage.

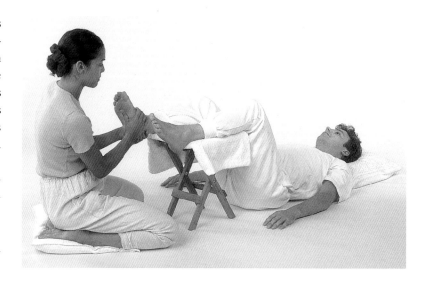

CI-DESSUS – Installez-vous confortablement, les pieds à votre portée.

CI-CONTRE – Reposez les bras pour travailler les points réflexes des mains. Une position confortable vous aidera à vous relaxer.

Pour travailler vos propres pieds, essayez de trouver une position confortable.

ÉQUIPEMENT

Quelle que soit la position adoptée, il vous faudra de nombreux coussins pour supporter le dos, le cou et la tête. Placez un coussin sous les genoux pliés de votre partenaire.

Préparez une couverture pour le réchauffer éventuellement : sa température peut chuter à mesure qu'il se relaxe.

Il vous faut également quelques serviettes, une à placer sous les pieds et une ou deux autres pour couvrir et garder au chaud le pied libre.

Préparez du talc au cas où vos mains ne glisseraient pas sur la peau, si le pied chauffe ou transpire.

Disposez une pile de coussins, un gros coussin ou un tabouret bas qui vous servira de siège pendant que vous travaillez. Vous devez pouvoir atteindre et voir le pied confortablement sans avoir à vous pencher trop. Il est très important que vous soyez confortablement installé. Si vous êtes tendu ou fatigué, vous risquez de ne plus être aussi attentif, de ne pas obtenir les résultats escomptés, voire de causer du tort à votre partenaire.

Préparez coussins, serviettes, coton hydrophile, talc, savon et huiles essentielles.

Commencez par laver les pieds ou les mains à l'eau et au savon.

Si vous utilisez des huiles essentielles, vous pouvez laver les pieds avec de l'eau tiède additionnée de quelques gouttes de lavande et d'une goutte d'arbre à thé.

17

# MASSAGE D'ÉCHAUFFEMENT

Le patient profitera beaucoup mieux du traitement réflexe si ses pieds sont massés au préalable,
ce qui offre en outre l'avantage de l'habituer à votre toucher. Vous devez également masser les pieds
entre deux stimulations réflexes spécifiques ainsi qu'à la fin de la séance de réflexothérapie.

### EN DÉBUT DE SÉANCE

Le massage prépare le pied aux stimulations réflexes,
il chauffe et détend les tissus, habitue le patient à votre
toucher, apaise et relaxe le corps entier. Il fait disparaître
les tensions des muscles et active l'apport sanguin, ce qui
entraîne un relâchement des tissus, lesquels répondront
mieux à la stimulation des points réflexes.

### AU COURS DU TRAITEMENT

Le massage permet de passer en douceur d'une zone
réflexe à une autre. Il détend le pied entre deux stimulations, celles-ci pouvant être légèrement douloureuses.
Faites un massage chaque fois que le patient ressent une
douleur.

### EN FIN DE SÉANCE

Quand vous aurez traité tous les points réflexes, ne vous
arrêtez pas brusquement pour ne pas «casser» la séance.
Terminez en massant les deux pieds sur toute leur surface, pour accentuer l'état de bien-être et de relaxation
profonde. Vous pouvez alors utiliser de l'huile d'amande
additionnée de 2 ou 3 gouttes d'huile essentielle, pour
nourrir la peau et faciliter le massage. N'employez pas
d'huiles essentielles avant d'avoir terminé la stimulation
réflexe, vos mains risquant de glisser et votre toucher de
ne plus être aussi précis.

### LES MOUVEMENTS DE MASSAGE

Il n'est pas nécessaire de suivre un ordre précis. Quand
vous connaîtrez bien les mouvements, enchaînez-les dans
l'ordre qui vous convient. Les deux ou trois premiers
mouvements forment une bonne introduction et vous
devez toujours pratiquer la rotation de la cheville pour
permettre à l'influx nerveux d'atteindre le pied et à l'apport sanguin de venir l'irriguer.

EFFLEURAGE OU MASSAGE LÉGER

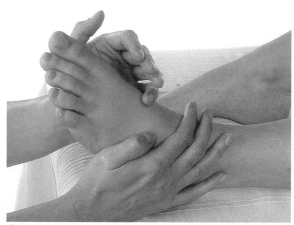

**1** Ces mouvements amples et apaisants englobent tout le
pied. Ils sont parfaits pour le relaxer au cours du traitement.

MOUVEMENTS COUVRANTS

Ils relaxent les muscles et activent la circulation.

ROTATION DE LA CHEVILLE

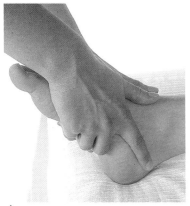

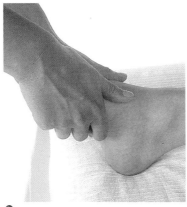

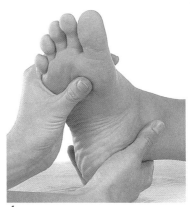

**1** Pour le dessus du pied, faites un mouvement circulaire avec les pouces, les doigts restant immobiles.

**2** Répétez le premier mouvement en descendant à chaque fois vers les orteils.

**1** Faites tourner plusieurs fois la cheville dans le sens des aiguilles d'une montre, sans forcer mais en mobilisant l'articulation.

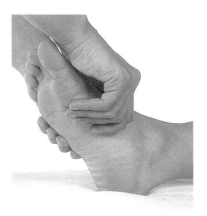

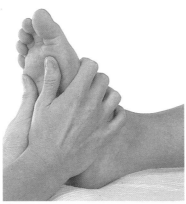

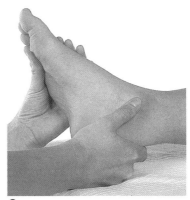

**3** Pour la plante du pied, les mains étant dans la même position, faites un mouvement circulaire avec les doigts, pouces immobiles.

**4** Pour finir, massez avec les pouces les « coussinets » sous les orteils.

**2** Répétez le mouvement en sens inverse.

PRESSION

MOUVEMENTS VIGOUREUX, RAPIDES

Ils permettent de stimuler les tissus paresseux ou de «ramener sur terre» un patient endormi à la fin du traitement réflexe. Pour tous ces mouvements, les deux mains se déplacent en sens opposé.

**1** Comme si vous pétrissiez de la pâte, appuyez la partie inférieure des doigts repliés (et non les jointures) sur la plante du pied. L'autre main maintient le dessus du pied, comme indiqué.

**1** Massez les côtés du pied, les mains montant et descendant sur la longueur du pied.

**2** Les mains étant dans la même position de départ, appuyez vers le haut et vers le bas alternativement, sur la hauteur de la plante, le pied basculant d'un côté à l'autre. Attention à ne pas tordre la cheville.

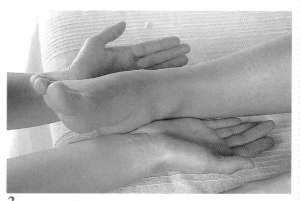

**3** Les mains étant posées, paumes vers le haut, de chaque côté du pied, déplacez-les rapidement d'avant en arrière et inversement, pour mobiliser la cheville. Si le mouvement est correct, le pied doit ballotter.

ROTATION DES ORTEILS

Commencez avec le gros orteil en le maintenant solide-ment (mais sans serrer) et faites-le pivoter doucement. Répétez le mouvement avec chaque orteil.

TORSION VERTÉBRALE

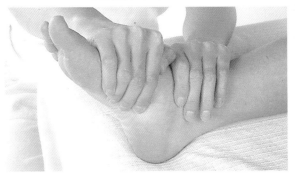

La main posée sur la cheville reste immobile, l'autre se déplace transversalement sur le dessus du pied et la tran-che intérieure, d'avant en arrière et inversement.

RELAXER LE DIAPHRAGME

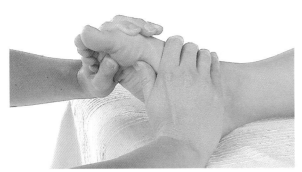

Ce mouvement est un mouvement de pompage. Main-tenez le pied avec la main extérieure (celle la plus proche du petit orteil), abaissez le pied sur le pouce de l'autre main en appuyant, puis relevez-le. Déplacez légèrement le pouce sur le côté et recommencez le mouvement. Travaillez ainsi toute la ligne transversale séparant les «coussinets» du creux du pied (ligne du diaphragme).

AMÉLIORER LA RESPIRATION
ET RELAXER LE PLEXUS SOLAIRE

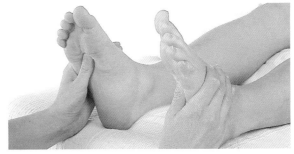

Prenez un pied dans chaque main et placez vos pouces au milieu de la ligne du diaphragme, où se trouve un creux naturel qui «s'enfonce» sous la pression. Demandez à votre partenaire d'inspirer puis d'expirer. Quand il ins-pire, appuyez doucement avec les pouces et relâchez la pression quand il expire. Répétez plusieurs fois en sui-vant la respiration du patient.

# TECHNIQUES DE RÉFLEXOTHÉRAPIE

TRAITEMENT RÉFLEXE

La réflexothérapie agit de façon complète, en stimulant l'intérieur et l'extérieur du corps par l'intermédiaire des points réflexes. En travaillant le pied comme un tout, le processus de guérison se propage dans le corps tout entier au lieu de ne concerner qu'une seule partie qui serait la cible d'un traitement isolé. Cette approche holistique rend la médecine naturelle particulièrement efficace.

Les thérapies naturelles ne s'adressent pas à votre corps comme à une machine, en réparant ou en remplaçant la partie détériorée sans s'occuper du reste, mais elles le traitent comme une totalité, en cherchant les causes du

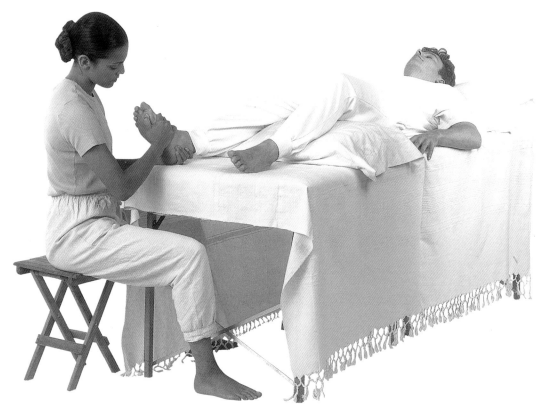

Assurez-vous que le patient est installé confortablement, la tête et les genoux soutenus par des coussins.

problème au lieu de se contenter de soulager localement les symptômes. Vous pouvez apaiser une rage de dents avec des antalgiques, mais vous ne guérirez l'abcès qu'en éliminant l'infection qui l'a causé.

L'origine d'une migraine peut être ou non connue. Le mal peut provenir d'une tension des muscles du cou ou de la colonne vertébrale, d'un trouble digestif ou même d'une contracture des jambes. Ce genre de problèmes et bien d'autres peuvent être la cause de maux de tête, même si nous n'y avions pas prêté attention avant qu'apparaissent les douleurs crâniennes. Les migraines récurrentes reviennent parce que leur cause n'est ni élucidée ni guérie, et ne disparaissent pas réellement, même si elles sont provisoirement soulagées par des antalgiques.

Si vous massez doucement les points réflexes de la tête, vous apporterez sans doute un soulagement passager mais vous n'éliminerez probablement pas la cause de la migraine. Stimuler un point réflexe pour soulager une douleur peut être utile, mais le soulagement est de courte durée. En revanche, la stimulation d'une ou de plusieurs zones réflexes associées, qui sont congestionnées et déséquilibrées, est très efficace à long terme. Pour découvrir ces zones, vous devrez travailler sur toute la surface du pied, sans vous limiter au seul point spécifique du symptôme.

Attention, il est possible d'aggraver un mal de tête en stimulant les points réflexes de la tête : la pression étant déjà trop forte en cet endroit, elle nécessite d'être évacuée plus bas, en particulier par la colonne vertébrale.

La cause d'un problème spécifique, comme la migraine, se trouve souvent ailleurs que dans la région concernée.

AVERTISSEMENT

La stimulation de points réflexes spécifiques ne sera efficace que conjointement à un travail sur tout le pied. Si vous apprenez et pratiquez l'enchaînement de base qui suit (pages 26-31), vous pourrez utiliser avec succès les massages des chapitres suivants. Si vous abordez ces massages sans effectuer au préalable l'enchaînement de base, vous risquez au mieux, d'être désappointé par les résultats, et au pire d'aggraver le problème.

## CINQ TECHNIQUES DE BASE

### TRACTION DU POUCE AVEC COMPRESSION

**1** Repliez tous vos doigts sauf les pouces. Tendez les deux pouces devant vous et repliez l'une après l'autre les premières phalanges.

**2** Tout en déplaçant le pouce, exercez un mouvement de pression sur la peau. N'utilisez qu'une seule main, l'autre maintient et supporte la main ou le pied que vous travaillez.

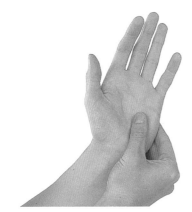

### ROTATION DU POUCE

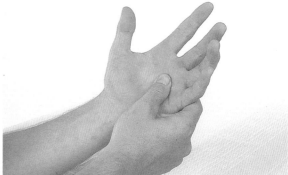

**3** Avancez chaque fois que vous redressez le pouce, tout en conservant une certaine pression sur la peau et en maintenant le contact.

**1** Posez votre pouce (ou le doigt) sur une zone réflexe de la main ou du pied et faites-le tourner doucement comme pour creuser un trou. Essayez d'exercer une pression plus forte. Utilisez cette technique pour stimuler un petit point spécifique.

### TRACTION DES DOIGTS

Cette technique est la même que pour la traction du pouce mais nécessite un ou plusieurs doigts.

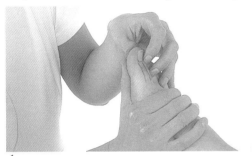

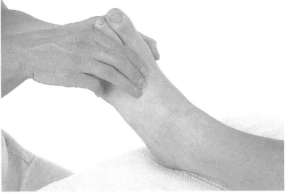

**1** Traction de l'index avec pression.

**2** Traction des trois doigts du milieu, avec pression.

### PRESSION PROFONDE DU POUCE

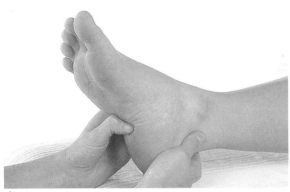

### MAINTIEN ET SUPPORT DU PIED

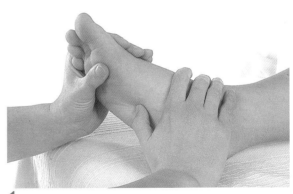

**1** À réserver aux points réflexes profonds ou difficiles d'accès que la rotation du pouce ne suffit pas à stimuler. Utilisez à la fois le pouce et les doigts. Élevez la main, rapprochez les doigts et le pouce puis écartez-les pour former une pince. Posez la main sur le pied et, avec le côté intérieur du pouce, appuyez profondément sur les tissus. N'exercez cette pression que sur les zones charnues.

**1** Maintenez toujours fermement, avec l'une de vos mains, le pied ou la main que vous travaillez, pour que votre partenaire se détende et que vous puissiez masser et stimuler sans difficulté les zones réflexes. Placez la main qui tient le pied près de celle qui travaille et non à l'autre extrémité du pied.

# ENCHAÎNEMENT DE BASE

Les pages suivantes illustrent, étape par étape, l'enchaînement de base des massages réflexes qui doivent être exercés sur votre partenaire avant que vous traitiez les problèmes spécifiques. Il est conseillé d'aborder les régions du corps dans l'ordre indiqué. Reportez-vous au diagramme et aux photographies pour plus de facilité. Les lignes dessinées sur les pieds et les mains soulignent les points réflexes clés.

ORDRE DES MASSAGES RÉFLEXES DE L'ENCHAÎNEMENT DE BASE

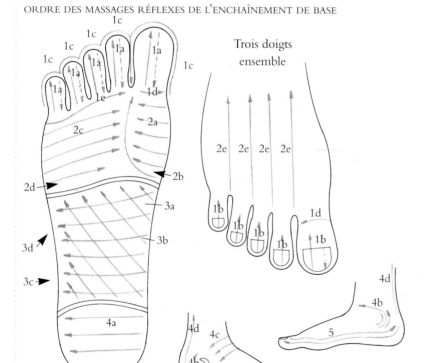

Ce diagramme illustre l'ordre dans lequel vous devez travailler les zones réflexes dans l'enchaînement de base.

## MASSAGE

N'oubliez pas de commencer par un massage et d'incorporer d'autres mouvements de massage au cours de l'enchaînement, entre chaque zone et chaque fois qu'une zone est douloureuse. Massez tout le pied pour terminer la séance.

## GAUCHE ET DROIT

L'enchaînement est indiqué pour un pied. Commencez avec le pied droit puis, quand vous avez terminé l'enchaînement, passez au pied gauche et répétez le tout (en inversant les mains et les mouvements pour les adapter au pied gauche). À la fin de l'enchaînement vous aurez suivi le diagramme sur les deux pieds. Sur le diagramme (ci-contre), chaque nombre (ou région du corps) présente des subdivisions marquées par des lettres, les flèches indiquant la direction du mouvement.

COLONNE VERTÉBRALE

La colonne suit le bord interne du pied. Suivez cet enchaînement.

**1** Traction du pouce en remontant.

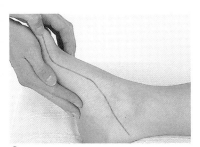

**2** Traction du pouce en descendant.

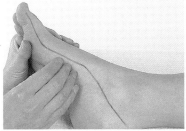

**3** Traction de trois doigts sur le bord interne du gros orteil au talon.

ORTEILS

Les orteils se rapportent à la tête et au cou.

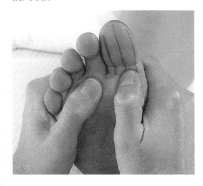

**1** Effectuez des tractions du pouce sur l'envers du gros orteil, suivant trois lignes, pour couvrir toute la zone.

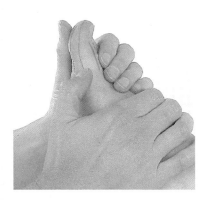

**3** Ensuite, travaillez le gros orteil, en remontant sur le côté avec votre pouce.

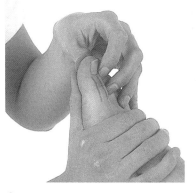

**2** Faites des tractions avec l'index, en descendant sur le devant du gros orteil, suivant trois lignes.

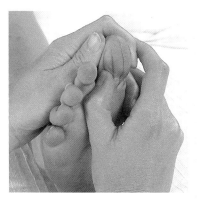

**4** Pour l'autre côté de l'orteil, glissez votre pouce sur le dessous du pied, entre les deux premiers orteils, puis effectuez des tractions du pouce en remontant.

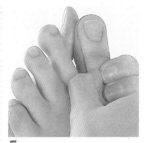

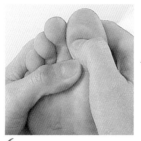

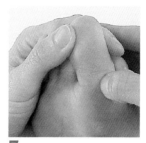

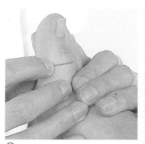

**5** Changez de main et glissez votre autre pouce entre le gros orteil et le deuxième orteil, sur le dessus du pied. Travaillez en remontant le long du côté.

**6** Au centre de l'empreinte digitale du gros orteil, travaillez le point réflexe de l'hypophyse par pression du pouce. Au début, la pression sera légère, surtout si la zone est douloureuse. Si le point n'est pas sensible, vérifiez que vous êtes au bon endroit, puis appuyez plus fort et relâchez.

**7** Effectuez des tractions du pouce sur la base du gros orteil, en deux demi-cercles, en commençant par le dessous.

**8** Procédez à des tractions des doigts, sur le dessus du gros orteil, avec l'index.

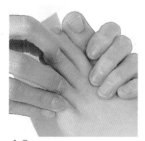

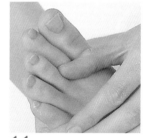

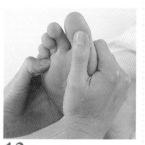

**9** Pour les autres orteils, suivez le même enchaînement, en travaillant chacun sur une seule ligne. Faites des tractions du pouce sur le dessous des orteils.

**10** Effectuez des tractions du pouce sur le dessus de chaque orteil, de l'extrémité à la base.

**11** Opérez des tractions du pouce sur un côté, en remontant, puis travaillez-le par au-dessus. Changez de main et travaillez l'autre côté de l'orteil.

**12** Pour finir, pratiquez des tractions du pouce en travers du rebord marquant la base des orteils.

POITRINE
La poitrine est représentée sur la partie supérieure de la plante et du dessus du pied.

 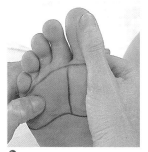  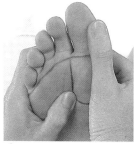

**1** Effectuez des tractions du pouce horizontalement, à partir du bord interne sous le gros orteil, en zone 1, juste en dessous de la base de l'orteil (pour les cinq zones, reportez-vous aux illustrations des zones de la tête, du cou et du thorax du chapitre «Comment agit la réflexothérapie», page 8). Recommencez juste à côté et continuez de même, pour recouvrir toute la zone située sous le gros orteil, jusqu'à la ligne du diaphragme.

**2** Faites des tractions du pouce horizontalement, à partir du bord extérieur du pied, en commençant sous le rebord des orteils. Travaillez toute cette région comme indiqué à l'étape 1.

**3** Travaillez ensuite sur la ligne du diaphragme, sous le gros orteil, puis remontez jusqu'à la base des orteils en suivant la ligne naturelle qui sépare le gros orteil du deuxième.

**4** Travaillez la ligne du diaphragme à partir du bord extérieur et quand vous rencontrez la ligne qui sépare le gros orteil du deuxième, remontez vers la base des orteils.

 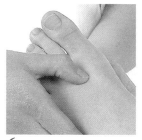 

**5** Pratiquez des tractions du pouce sur toute la ligne du diaphragme, en partant du bord interne.

**6** Sur le dessus du pied, opérez des tractions des doigts le long des articulations entre chaque orteil, dans le creux.

**7** Effectuez des tractions avec les trois doigts du milieu sur tout le dessus du pied, en partant de la base des orteils et en remontant.

ABDOMEN

Cette région se trouve dans le creux ou courbure du pied, entre la ligne du diaphragme et la ligne du talon.

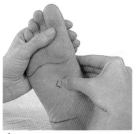 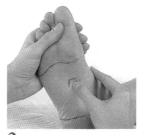 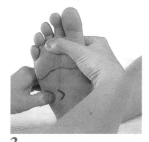 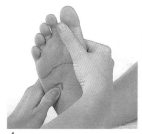

**1** Effectuez des tractions du pouce, en lignes horizontales sous le gros orteil, en partant du bord interne, comme pour la poitrine.

**2** Faites des tractions du pouce en diagonale, en recouvrant la même zone qu'à l'étape 1.

**3** Changez de mains et effectuez des tractions du pouce horizontalement à partir du bord extérieur du pied, comme précédemment.

**4** Enfin, avec le même pouce, faites des tractions en diagonale à partir du bord externe, en recouvrant toute la zone, comme précédemment.

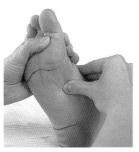 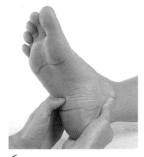 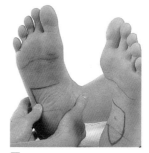 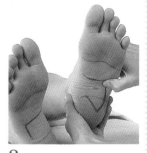

**5** En vous reportant à la carte du pied (pages 60-61), effectuez des rotations du pouce sur le point réflexe des glandes surrénales, sous le tendon partant du gros orteil.

**6** Appuyez profondément avec l'angle interne du pouce sur la valvule iléocæcale.

**7** Effectuez des tractions du pouce sur le trajet du côlon, en partant sur le pied droit, en bas de la ligne du côlon.

**8** Continuez sur le pied gauche, en suivant la ligne indiquée sur la carte du pied (pages 60-61). Changez de main au point indiqué ci-dessus.

BASSIN

La zone du bassin s'étend autour du talon (dessous du pied, côtés du talon et dessus de la cheville).

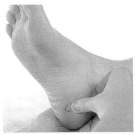 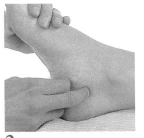 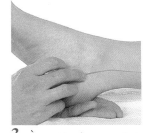 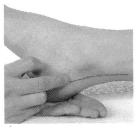

**1** Faites des tractions du pouce sur le talon, en travers de la plante du pied, suivant des lignes horizontales se chevauchant (travail difficile).

**2** Trouvez un petit creux, à mi-hauteur sur une diagonale reliant la pointe de l'os de la cheville et l'angle droit du talon (côté inte r ne du pied) et effectuez une rotation du majeur, sans trop insister.

**3** À partir de ce point, faites des tractions des doigts, en passant derrière la cheville et en remontant vers la jambe.

**4** Trouvez le même point que celui décrit étape 2, mais sur l'extérieur du pied. Pratiquez des rotations avec le majeur de l'autre main puis des tractions en remontant sur la jambe, comme précédemment.

 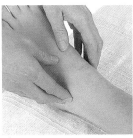 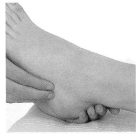 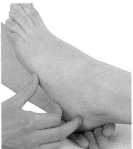

MEMBRES

**5** Effectuez des tractions avec les trois doigts du milieu, transversalement sur le dessus de la cheville.

**6** Continuez autour de l'os de la cheville, avec les mêmes doigts.

**7** À l'aide des cartes du pied, trouvez les points hanche/genou et opérez des tractions avec deux doigts.

**1** Travaillez le bord externe et massez le point réflexe croisé correspondant.

# MASSAGES SPÉCIFIQUES

Quand vous connaîtrez bien tout l'enchaînement de base, vous pourrez étudier des points réflexes spécifiques. Travaillez toujours les réflexes sur les deux pieds, sauf indication contraire.

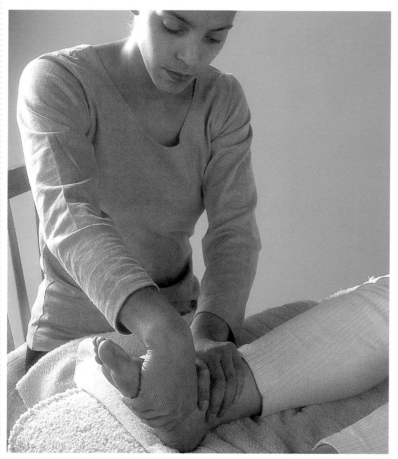

Lorsque vous pratiquez la réflexothérapie, soyez attentif aux réactions de votre partenaire, particulièrement à ses zones sensibles ou douloureuses.

La stimulation de la zone réflexe du diaphragme est vraiment efficace pour provoquer un état de relaxation profonde. Si vous effectuez un traitement réflexe en fin de journée, par exemple, pour relaxer votre partenaire et lui préparer un sommeil paisible, insistez plus particulièrement sur cette zone, au cours de l'enchaînement de base.

Il se peut que certains points réclament une attention spéciale. Vous pourrez alors pratiquer un massage plus approfondi ou, si la zone est sensible, appliquer une pression plus légère mais plus prolongée pour évacuer la tension accumulée dans cette région. Vous pouvez également pratiquer une rotation sur le point réflexe, au lieu d'effectuer comme vous l'aviez prévu, une simple traction du pouce.

La façon dont vous travaillez doit être dictée par les réactions de votre partenaire au massage, ce que ses

pieds ressentent et ce que vous ressentez en les massant.

QUE FAIRE SI LE MASSAGE
EST DOULOUREUX

Un point réflexe congestionné et
sensible doit être travaillé en douceur et peu de temps. Votre massage
ne doit jamais faire mal. Si vous
détectez une zone douloureuse,
massez-la délicatement et si la douleur s'atténue, essayez la traction du
pouce, mais très légèrement, sans
insister. Vous procéderez toujours
selon les réactions du patient et y
adapterez votre massage.

Cependant, ne négligez pas les
zones sensibles qui ont besoin d'être
traitées ou stimulées. C'est à vous de
décider quelle sera la meilleure
technique pour aborder la zone per-
turbée, sans causer de douleur ou
d'inconfort, même si vous ne travaillez qu'avec le bout des doigts.

Tant que vous demeurez à l'écoute
de votre partenaire et que vous
effectuez le traitement en conséquence, vous êtes sur la bonne voie.

Si vous n'avez pas lu l'introduction de ce chapitre, faites-le avant de
continuer, pour être sûr de ne causer aucun dommage. Le traitement
complet du pied va stimuler et réé-
quilibrer tous les systèmes du corps

Placez-vous de manière à être à l'aise et à bien voir le dessous
des pieds de la personne que vous massez.

et vous pourrez alors intégrer les
massages spécifiques qui suivent, si
vous désirez traiter certaines zones
particulières du corps.

AVERTISSEMENT

Opérer séparément les
massages spécifiques qui
suivent, sans travailler au
préalable sur tout le pied,
n'aura aucune efficacité et
risque de causer des torts. Ces
massages doivent être inclus
à l'enchaînement de base.

# Massages relaxants
## Favoriser un sommeil réparateur

Votre sommeil sera beaucoup plus reposant si votre corps est relaxé et vos muscles détendus. Dans le cas contraire, vous risquez de vous lever le matin avec des courbatures, un mal de tête ou simplement une fatigue. Vous risquez aussi de vous réveiller en pleine nuit, sans pouvoir vous rendormir.

En massant et stimulant les points réflexes, vous activerez la circulation, ce qui entraînera une évacuation accélérée des déchets du corps. Vous fortifierez ainsi tous les systèmes corporels, qui bénéficieront alors au maximum des propriétés régénératrices du sommeil.

Il est important de masser souvent les pieds de votre partenaire pendant l'enchaînement de base. N'oubliez pas la rotation de la cheville, qui permet de dénouer les tensions existantes en cet endroit. L'apport sanguin et l'influx nerveux passant par les chevilles, il est essentiel qu'ils puissent circuler librement.

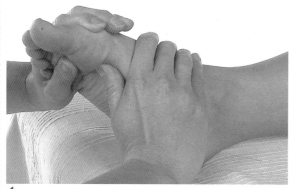

**1** Pour détendre le diaphragme, maintenez le pied avec la main extérieure, abaissez-le sur le pouce de l'autre main et relevez-le à nouveau. Déplacez votre pouce sur le côté et répétez le mouvement, en traversant toute la plante du pied jusqu'au bord externe en suivant la ligne du diaphragme.

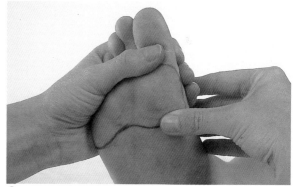

**2** Effectuez des tractions du pouce sur toute la longueur de la ligne du diaphragme. Relaxer le diaphragme est particulièrement important pour relaxer le corps entier et régulariser la respiration.

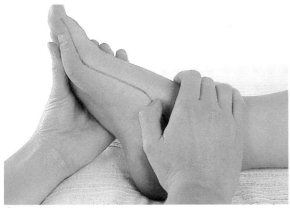

**3** Procédez à des tractions du pouce sur la ligne de la colonne vertébrale, du talon au gros orteil. N'oubliez pas de maintenir le pied. Dans ce cas, supportez le bord externe du pied avec l'autre main.

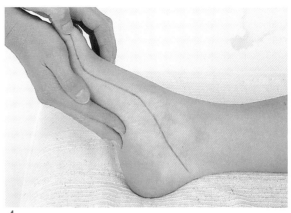

**4** Répétez le mouvement, en descendant la ligne vertébrale. Recommencez plusieurs fois ces deux mouvements. Ralentissez et faites une rotation légère du pouce si vous arrivez sur une zone sensible.

AUTOMASSAGE DES MAINS

**5** Effectuez une traction du pouce en remontant, sur le dessous des orteils. Massez avec précaution, ces zones étant souvent très sensibles.

Vous pouvez vous relaxer vous-même en massant le pli de peau situé entre le pouce et l'index, sur les deux mains.

# RELAXER LE COU ET LES ÉPAULES

Le cou est le siège de nombreuses tensions. Pour vous en rendre compte,
posez vos mains de chaque côté de votre cou et massez doucement. Si les muscles
sont tendus et sensibles, ce massage vous sera très profitable.

Quand les muscles du cou sont tendus, ils coincent les nerfs, ce qui peut donner lieu à des douleurs, des bourdonnements dans les oreilles ou des yeux tirés.

En cas d'épaules douloureuses, relaxer les muscles tendus apaisera la douleur et permettra aussi une meilleure respiration. En effet, lorsque les muscles des épaules sont tendus, ils tirent sur la poitrine, provoquant une difficulté respiratoire.

Dans le cadre des massages de base, vous donnerez un soin tout particulier aux zones décrites ci-après.

TENSION DU COU

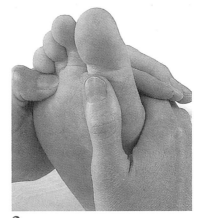

AUTOMASSAGE DES MAINS

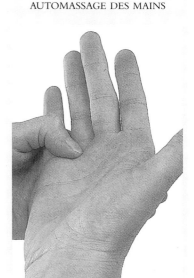

**1** Pratiquez des tractions du pouce sur le côté du «cou» du gros orteil, siège de nombreuses tensions. Faites de même sur tous les orteils, en remontant, puis effectuez des tractions du pouce autour du gros orteil, en commençant par le dessous.

**2** Effectuez des tractions du pouce sur le rebord qui se trouve à la base des orteils. Restez bien sur le rebord et non en dessous, ce qui ne produirait pas le même effet.

Tractions du pouce sur une ligne transversale à la base des doigts.

TENSION DES ÉPAULES

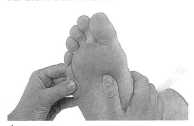

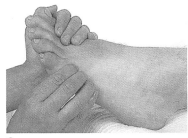

**1** Pour faire disparaître les tensions des épaules, effectuez des tractions du pouce sur la zone des épaules, suivant des lignes horizontales se chevauchant.

**2** Tractions des doigts sur la même zone, sur le dessus du pied. Puis tractions avec trois doigts sur le bord externe, en travaillant par rangées, du bas de l'articulation du petit orteil à la ligne de la taille (à mi-hauteur du pied).

**3** Pour détendre le diaphragme, placez le pouce sur sa ligne sous le gros orteil. Maintenez le pied avec la main extérieure, abaissez-le sur le pouce de l'autre main et relevez-le à nouveau. Déplacez votre pouce sur le côté et répétez le mouvement, en traversant toute la plante du pied jusqu'au bord externe, suivant la ligne du diaphragme.

AUTOMASSAGE DES MAINS

Tractions du pouce et massage de la zone des épaules sur vos mains (reportez-vous à la carte de la main page 63).

LÉSIONS TRAUMATIQUES DES VERTÈBRES CERVICALES

**1** Tractions du pouce sur le sillon entre le gros orteil et le second.

**2** Faites de même sur le dessus du pied.

**3** Travaillez le point réflexe de l'épaule (dessous et dessus du pied).

# SOULAGER LES DOULEURS DE DOS

Le mal de dos, par la douleur constante et la perte d'énergie qu'il entraîne, est épuisant ; les tensions peuvent bloquer le système nerveux de la moelle épinière. Le mal de dos est la première cause des arrêts de travail pour maladie. Dénouez les tensions et relaxez les muscles dans les zones suivantes.

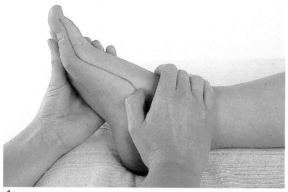

**1** Tractions du pouce en montant et descendant la ligne vertébrale, en maintenant le bord externe du pied.

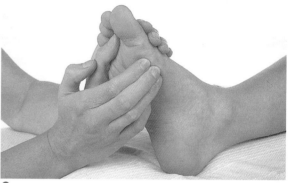

**2** Tractions des doigts avec trois doigts, en travers de la ligne réflexe, en descendant le long du bord interne.

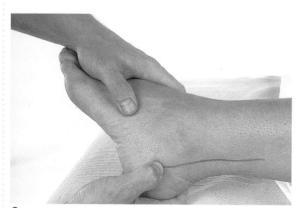

**3** Tractions du pouce sur la ligne réflexe du bas du dos, derrière l'os de la cheville, de chaque côté.

AUTOMASSAGE DES MAINS

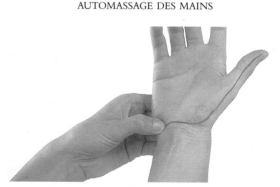

Travaillez la ligne réflexe vertébrale des mains.

# SOULAGER LES TENSIONS RÉCURRENTES

Si vous travaillez sur ordinateur pendant de longues heures, vous aurez probablement les yeux fatigués et larmoyants ou les poignets douloureux. Le travail de bureau est souvent la cause de tensions des épaules et du cou. Si vous êtes debout toute la journée, vos jambes et vos chevilles seront sans doute enflées dans la soirée, et vos pieds douloureux. La meilleure façon de soulager ces douleurs et ces tensions est de travailler le pied tout entier, pour stimuler les différents systèmes corporels. Vous pourrez ajouter à l'enchaînement de base l'une des techniques suivantes de votre choix.

**1** Traction du pouce en remontant, sur le dessous et les côtés du deuxième et troisième orteils, zone réflexe des yeux. Relaxe aussi le cou.

**2** Travaillez les zones réflexes de l'épaule avec la technique de la traction du pouce.

**3** Effectuez des tractions des doigts en travers de la même zone, sur le dessus du pied, avec les trois doigts du milieu.

**4** Rotation des chevilles pour soulager des poignets douloureux et stimuler les articulations.

**5** Travaillez en travers du bord externe des deux pieds, en descendant, pour relaxer les épaules, les bras, les jambes et les genoux.

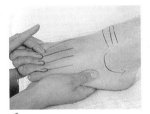

**6** Travaillez le système lymphatique sur les deux pieds. Tractions des doigts sur les lignes réflexes, des orteils vers la cheville, puis tout autour de la cheville.

AUTOMASSAGE DES MAINS

Reportez-vous à la carte des mains (page 63), pour trouver le point réflexe permettant de soulager rapidement mais provisoirement votre problème propre. Il n'existe pas de massage spécifique pour ces tensions et ces fatigues dues à un effort répété. C'est à vous de localiser la douleur et de trouver le point réflexe correspondant sur les cartes des pieds et des mains (pages 60-63).

# RÉVEILLER LES MUSCLES

Plutôt que de passer d'un extrême à l'autre et d'essayer de compenser les méfaits d'un travail sédentaire en forçant votre corps ankylosé à effectuer des exercices trop vigoureux, demandez à un ami de vous faire un traitement de réflexologie, pour stimuler la circulation et tous les systèmes corporels. Vous vous sentirez ensuite beaucoup mieux, prêt à faire tout l'exercice physique nécessaire, lequel vous sera alors certainement beaucoup plus bénéfique. Si vous pratiquez ce massage sur un partenaire, ajoutez les techniques suivantes à l'enchaînement de base.

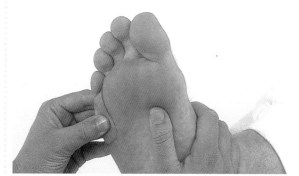

**1** Effectuez des tractions du pouce sur la zone des épaules.

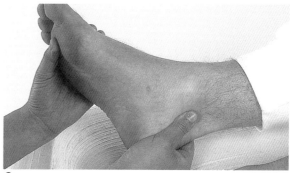

**2** Rotation des chevilles pour dénouer les tensions, activer la circulation et libérer l'influx nerveux.

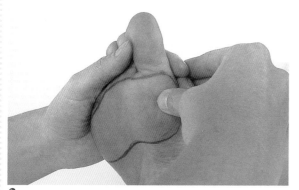

**3** Travaillez la zone de la poitrine et des poumons.

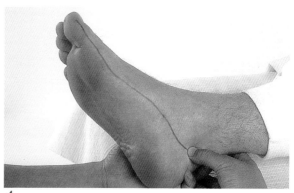

**4** Tractions du pouce sur la ligne vertébrale.

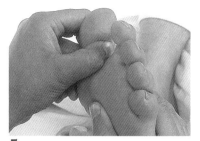

**5** En commençant par le gros orteil, travaillez la base de tous les orteils.

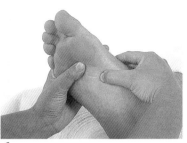

**6** Effectuez une rotation du pouce sur le point réflexe des surrénales afin de stimuler leurs fonctions naturelles, atténuer les effets d'un travail excessif ou donner un regain d'énergie.

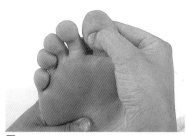

**7** Pratiquez une rotation ou massez doucement tous les points réflexes des autres glandes endocrines qui contrôlent les échanges chimiques et par conséquent, l'activité corporelle.

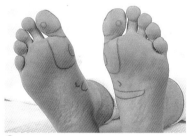

**8** Travaillez le point réflexe de l'hypophyse sur le gros orteil, par pression profonde du pouce. Tractions du pouce sur la zone de la thyroïde, située sous le gros orteil, sur la partie charnue. Rotation sur le point réflexe des surrénales. Travaillez le pancréas sur le bord interne et la courbure du pied.

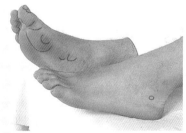

**9** Effectuez une rotation sur le point réflexe des ovaires/testicules, sur le côté du talon.

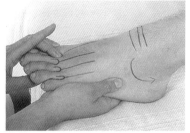

**10** Traction ou rotation du pouce sur les points réflexes du système lymphatique.

# Vaincre le stress

Le stress est la cause de bien des dérèglements et maladies. Si vous déchargez beaucoup d'adrénaline pendant longtemps, vos glandes surrénales vont s'épuiser. Votre souffle deviendra trop rapide ou trop superficiel. Votre digestion sera ralentie et vous causera des problèmes. Si vous vous sentez nerveux ou nauséeux, la première chose à faire est de respirer profondément et lentement, ce qui vous calmera et apportera davantage d'oxygène à votre corps. On atténue considérablement le stress lorsque l'on respire correctement. Accélérez le processus de retour au calme en travaillant sur vos mains, en massant avec le pouce le point réflexe du plexus solaire, au centre de la paume (sur les deux mains). Le traitement réflexe comporte les étapes suivantes.

SOULAGER LE STRESS EN RÈGLE GÉNÉRALE

  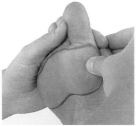 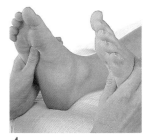

**1** Relaxez le diaphragme : placez le pouce sur la ligne du diaphragme, sous le gros orteil. Maintenez le pied avec la main extérieure, abaissez-le sur le pouce de l'autre main et relevez-le à nouveau. Déplacez votre pouce latéralement et répétez le mouvement, en traversant toute la plante du pied jusqu'au bord externe, le long de la ligne du diaphragme.

**2** Effectuez des tractions du pouce sur la ligne du diaphragme. Les tensions s'accumulent dans le diaphragme, en le rendant raide et douloureux. Mais quand il se contracte et se relâche librement, les organes abdominaux sont également stimulés.

**3** Travaillez les zones réflexes des poumons sur la région de la poitrine, pour que la respiration s'amplifie dès que le diaphragme se libère. Vous serez ainsi plus détendu et, profitant de plus d'oxygène, vous ressentirez un nouveau bien-être.

**4** Libérez le plexus solaire : prenez les deux pieds dans vos mains et placez vos pouces au milieu de la ligne du diaphragme. Quand votre partenaire inspire, enfoncez les pouces, relâchez la pression quand il expire. Répétez plusieurs fois, en suivant le rythme de la respiration du patient.

 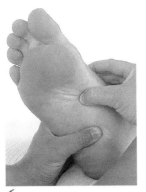 

**5** Effectuez des tractions du pouce dans la zone réflexe de l'estomac et sur toute la courbure du pied (image de la cavité abdominale). Vous faciliterez ainsi la digestion et l'élimination, toutes deux affectées par le stress.

**6** Pratiquez une légère rotation du pouce sur le point réflexe des glandes surrénales.

**7** Travaillez la zone réflexe du cou, à la base des orteils où s'accumulent stress et tension.

Massez le centre de vos paumes, point réflexe du plexus solaire.

ATTÉNUER LE TRAC
Pratiquez les automassages illustrés ci-dessus à droite, ou effectuez les mouvements indiqués aux étapes 4 et 5 pour un traitement complet.

SOULAGER LE STRESS DÛ À LA COLÈRE

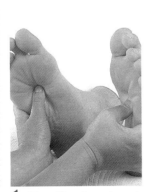 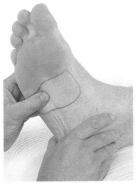

AUTOMASSAGE
Reportez-vous à la carte des mains (page 63), pour travailler le point réflexe du plexus solaire et la zone réflexe du foie.

**1** Travaillez le point réflexe du plexus solaire sur les deux pieds.

**2** Travaillez la zone réflexe du foie.

# MASSAGES TONIFIANTS

Si vous n'avez pas lu l'introduction à ces massages spécifiques, lisez-la avant de commencer, pour être sûr de ne causer aucun dommage. Dans le cadre de l'enchaînement de base, stimulant tous les systèmes corporels, vous pouvez ajouter le traitement des zones réflexes spécifiques indiquées ci-dessous.

## AU DÉBUT DE LA JOURNÉE : STIMULATION DES SYSTÈMES CORPORELS ET DES SENS

Pour exploiter au mieux votre énergie, vos systèmes corporels doivent fonctionner correctement, dès le réveil et toute la journée.

  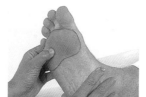 

**1** Massez vigoureusement tout le pied pour faire circuler le sang. Massez la zone réflexe de la poitrine, pour libérer la respiration. Effectuez des effleurages sur le bord interne du pied, pour stimuler le système nerveux de la moelle épinière et «réveiller» la colonne vertébrale et les muscles qui la maintiennent.

**2** Pratiquez des tractions du pouce sur la ligne vertébrale. Faites une rotation des chevilles et des orteils pour stimuler l'apport de sang vers les pieds et détendre le cou et le bassin, en libérant ainsi l'influx nerveux vers la tête et le bas du corps.

**3** Stimulez le diaphragme, puis travaillez transversalement la zone de la poitrine, pour aider à installer une respiration profonde et régulière qui fortifiera votre corps.

**4** Travaillez le point réflexe de l'hypophyse sur le gros orteil, au centre de l'empreinte digitale. Cette glande est le chef d'orchestre des autres glandes, elle contrôle la sécrétion ou l'arrêt de sécrétion des diverses hormones et secrète elle-même des hormones stimulantes.

AUTOMASSAGE DES MAINS

 **1** Pour vous mettre en train le matin, travaillez la ligne du diaphragme sur vos mains.

 **2** Travaillez la ligne vertébrale, puis le point réflexe de la thyroïde, au centre de l'empreinte digitale du pouce.

# ESPRIT D'INITIATIVE ET DE DÉCISION

Quand le corps est fatigué et fonctionne au ralenti, il est parfois difficile d'accomplir les tâches quotidiennes et de prendre des décisions. Le foie et la vésicule biliaire agissent conjointement pour fortifier le corps, renforçant naturellement la volonté. En stimulant le diaphragme, le plexus solaire et le foie, vous améliorez la respiration qui tonifie votre corps.

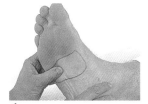 **1** Stimulez le foie.

 **2** Stimulez la vésicule.

 **3** Stimulez le diaphragme.

 **4** Stimulez le plexus.

 **5** Stimulez les poumons.

AUTOMASSAGE

Rotations sur le point réflexe de la vésicule pour stimuler la capacité de décision.

# AUGMENTER L'ÉNERGIE

Si l'énergie vitale passe librement dans votre corps, vous vous sentirez en forme et n'aurez aucun mal à penser «positif». Si vous pensez «positif», votre corps répondra à son tour et tous ses systèmes seront tonifiés. Le pouvoir de la pensée influence votre bien-être physique et inversement, l'équilibre hormonal et l'état de bien-être de votre corps retentit sur votre psychisme.

**1** Stimulez la zone réflexe des poumons pour tonifier la respiration.

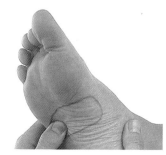

**2** Activez la zone du foie dont les nombreuses fonctions sont indispensables à l'organisme.

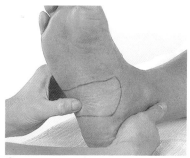

**3** Stimulez la zone de l'intestin grêle pour activer l'assimilation des nutriments.

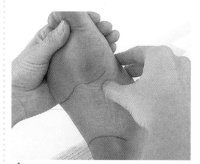

**4** Stimulez la zone réflexe du système digestif : ce que vous mangez se transforme en énergie pendant la digestion.

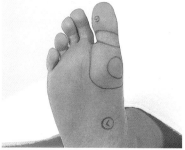

**5** Stimulez les glandes, hypophyse sur le gros orteil, et thyroïde sur la base du gros orteil et la partie charnue en dessous. Rotation sur les surrénales.

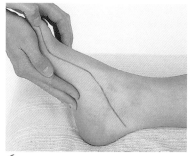

**6** Stimulez la ligne vertébrale de haut en bas et inversement, colonne centrale du flux énergétique.

AUTOMASSAGE DES MAINS

**1** Stimulez l'hypophyse au centre de l'empreinte digitale du pouce.

**2** Stimulez la ligne vertébrale sur les deux mains.

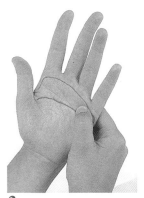

**3** Stimulez les poumons pour tonifier la respiration.

**4** Stimulez le diaphragme sur les deux mains.

**5** Stimulez le point réflexe du foie sur la main droite.

**6** Stimulez la zone réflexe de l'intestin grêle.

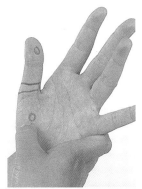

**7** Stimulez les principales glandes pour équilibrer le système hormonal.

# FORTIFIER LA PEAU,
# LES CHEVEUX ET LES ONGLES

Un équilibre hormonal satisfaisant, une alimentation correcte et un bon fonctionnement de l'élimination des déchets et des toxines par les émonctoires, sont la condition d'une peau saine, de cheveux brillants et d'ongles solides. En stimulant la circulation par un traitement réflexe approprié, vous aiderez votre corps à se débarrasser des toxines et à mieux absorber les nutriments. Mais rappelez-vous que la qualité des nutriments absorbés par votre corps dépend des aliments que vous ingérez. Une bonne santé n'est possible que si vous mangez une nourriture saine et équilibrée. Une santé défaillante est souvent le résultat d'un régime à base d'aliments industriels, précuits et réchauffés.

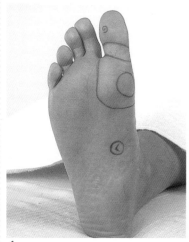

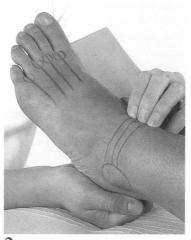

AUTOMASSAGE

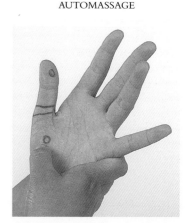

**1** Stimulez toutes les glandes sur les deux pieds. Le bon état de votre peau, de vos cheveux et de vos ongles dépend de l'équilibre hormonal, lequel est contrôlé par vos glandes.

**2** Traitez également le système lymphatique sur les deux pieds, pour améliorer l'évacuation des toxines.

Stimulez toutes les glandes sur les mains, en vous reportant à la carte des mains (page 63).

# RENFORCER LE SYSTÈME IMMUNITAIRE

Quand le système immunitaire est en bon état, le corps est capable de se défendre
naturellement contre les infections et les empêche de se propager. Dans le contexte
d'un traitement réflexe complet, portez particulièrement votre attention sur les zones suivantes.

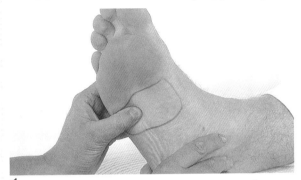

**1** Travaillez la zone réflexe du foie pour tonifier tout
le corps.

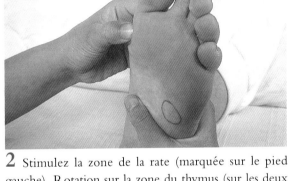

**2** Stimulez la zone de la rate (marquée sur le pied
gauche). Rotation sur la zone du thymus (sur les deux
pieds, ci-dessus, sous le pouce gauche).

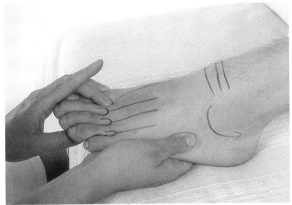

**3** Stimulez le système lymphatique supérieur et inférieur, sur les deux pieds (élimination des toxines).

AUTOMASSAGE

Stimulez les zones du foie et de la rate pour
renforcer le corps, le thymus et le système
lymphatique pour combattre les infections
(voir la carte des mains page 63).

# MASSAGES CALMANTS

Si vous n'avez pas lu l'introduction à ces massages spécifiques, lisez-la avant d'aller plus loin, pour être sûr de ne causer aucun dommage. Dans le cadre d'un traitement réflexe complet, stimulant tous les systèmes corporels, vous pouvez ajouter le traitement des zones spécifiques indiquées ci-dessous.

## APPORTER UN SOULAGEMENT

Avant de vous occuper de la zone douloureuse, stimulez le point de l'hypothalamus, glande contrôlant la sécrétion des endorphines qui endorment la douleur.

MUSCLES OU ARTICULATIONS DOULOUREUSES

1 Stimulez le point réflexe des surrénales sur les deux pieds. Ces glandes combattent les états inflammatoires et participent à la tonicité des muscles.

DOULEURS DORSALES

1 Stimulez la ligne vertébrale en insistant sur les zones sensibles, pour les décongestionner.

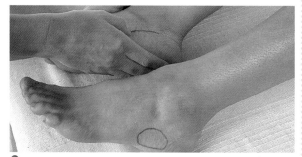

2 Pour les douleurs du bas du dos, stimulez la zone indiquée, par rotation du pouce.

DOULEURS NEUROLOGIQUES

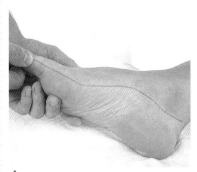

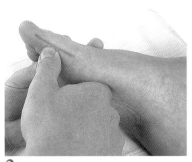

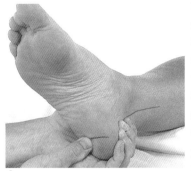

**1** Effectuez des tractions du pouce sur la ligne vertébrale, pour stimuler le système nerveux central de la moelle épinière.

**2** Trouvez la zone réflexe. Ainsi, pour le cou, travaillez les cervicales et cherchez la zone sensible à la base des orteils.

**3** Pour une sciatique, stimulez le point réflexe de la sciatique, indiqué sur la carte du pied (pages 60-62).

CRAMPES                                              DOULEURS DENTAIRES

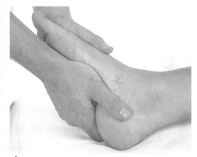

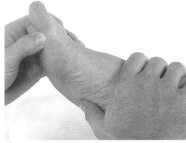

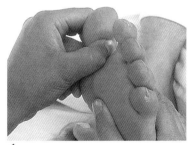

**1** Maintenez la zone et massez les réflexes croisés appropriés. Par exemple, pour des crampes dans le mollet, massez le réflexe croisé sur l'avant-bras.

**2** Travaillez la zone réflexe des parathyroïdes, autour de la base du gros orteil.

**1** Trouvez l'orteil ou le doigt le plus sensible et stimulez la zone avec précaution, mais complètement.

# ÉVITER LES SOMNIFÈRES

L'insomnie peut avoir de nombreuses causes et se manifester de façons différentes. Éprouvez-vous de la difficulté à vous endormir ? Vous réveillez-vous au cours de la nuit sans pouvoir retrouver le sommeil ? L'insomnie est-elle due à des troubles digestifs ou à de l'anxiété (les deux problèmes pouvant être liés) ? Pour améliorer la situation, effectuez les massages suivants.

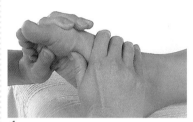

**1** Relaxer le diaphragme : maintenez le pied avec la main extérieure, abaissez-le sur le pouce de l'autre main et relevez-le à nouveau. Déplacez votre pouce sur le côté et répétez le mouvement, en traversant toute la plante du pied jusqu'au bord externe, en suivant la ligne du diaphragme.

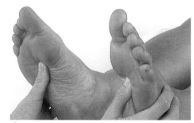

**2** Détendez le plexus solaire : prenez les deux pieds dans vos mains et placez vos pouces au milieu de la ligne du diaphragme. Quand votre partenaire inspire, enfoncez les pouces, relâchez la pression quand il expire. Répétez plusieurs fois, en suivant le rythme de la respiration du patient.

**3** Stimulez la base de tous les orteils pour évacuer les tensions accumulées dans les muscles du cou.

AUTOMASSAGE

**4** Stimulez toute la zone de l'abdomen pour évacuer les tensions.

**5** Stimulez toutes les glandes pour l'équilibre hormonal.

Massez le point du plexus solaire sur les deux paumes.

# AIDER LA RESPIRATION

Les problèmes respiratoires peuvent inclure le rhume des foins et les réactions allergiques.
Une alimentation déséquilibrée, une accumulation de toxines et un stress excessif
affaiblissent le corps et engendrent souvent des problèmes respiratoires.

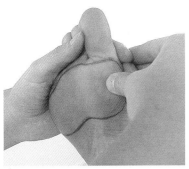

**1** Travaillez la zone de la poitrine, sur la plante du pied, pour la soulager, ainsi que les poumons.

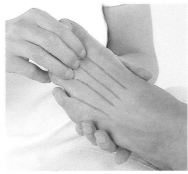

**2** Tractions des doigts sur le dessus du pied pour stimuler la circulation lymphatique.

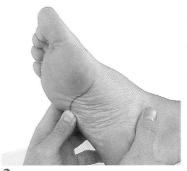

**3** Stimulez le diaphragme pour améliorer la respiration.

**4** Stimulez les voies respiratoires pour qu'elles puissent se dégager.

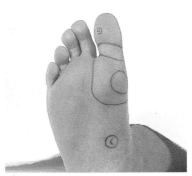

**5** Stimulez toutes les glandes en insistant sur les zones particulièrement douloureuses.

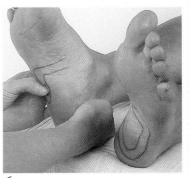

**6** Stimulez la valvule iléo-cæcale et tout le côlon pour régulariser la sécrétion du mucus et évacuer les toxines.

# SOULAGER LES MAUX DE TÊTE ET LES NAUSÉES

Les deux problèmes sont souvent liés, une forte migraine entraînant fréquemment une sensation nauséeuse. Dans le contexte d'un traitement réflexe complet, vous pouvez travailler ces points spécifiques.

MAUX DE TÊTE

**1** Stimulez d'abord le point réflexe de l'hypothalamus, qui contrôle la sécrétion d'endorphines analgésiques.

**2** Travaillez la ligne vertébrale en descendant, pour évacuer la pression de la tête et attirer l'énergie vers le corps.

**3** Travaillez les vertèbres cervicales sur les gros orteils. Stimulez la base des orteils pour soulager la tension.

**4** Travaillez le diaphragme pour stimuler la respiration.

NAUSÉES

**1** Massez tout l'abdomen, en insistant sur les parties sensibles. Travaillez en douceur, légèrement.

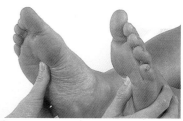

**2** Détendez le plexus solaire : prenez les deux pieds dans vos mains et placez vos pouces au milieu de la ligne du diaphragme. Quand le patient inspire, enfoncez les pouces, relâchez la pression quand il expire. Répétez plusieurs fois, en suivant le rythme de sa respiration.

# TROUBLES DES ORGANES GÉNITAUX

Stimulez toutes les parties du système reproducteur sur les côtés et le dessus du talon.

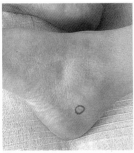

**1** Stimulez les ovaires ou les testicules sur le côté externe du pied.

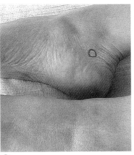

**2** Stimulez l'utérus ou la prostate sur le côté interne du pied.

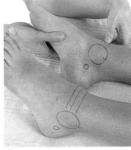

**3** Stimulez les trompes de Fallope ou les canaux déférents en travers de la cheville.

AUTOMASSAGE

Avec la carte des mains page 63, localisez le point des ovaires/testicules et travaillez-le sur les deux mains. Procédez de même avec l'utérus/prostate, puis les trompes/canaux déférents.

DOULEURS MENSTRUELLES

SEINS DOULOUREUX

**1** Travaillez le bas de la colonne vertébrale pour stimuler les nerfs de l'utérus.

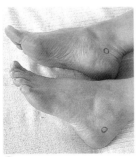

**2** Stimulez le point réflexe de l'utérus, sur le côté interne du pied.

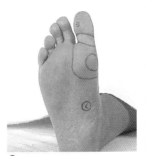

**3** Stimulez les glandes sur les deux pieds.

Traction des doigts (avec trois doigts), en remontant, sur la zone de la poitrine du dessus du pied.

# RHUMES, MAUX DE GORGE ET PROBLÈME DE SINUS

Les rhumes, maux de gorge et problème de sinus affectent le système respiratoire.
Pour les soulager, vous devez travailler tous les orteils et la zone de la poitrine.

RHUMES

**1** Travaillez la zone de la poitrine pour dégager les voies respiratoires.

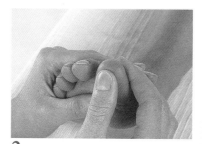

**2** Dégagez les sinus en stimulant le bout des orteils, en commençant par le pouce. Stimulez le système endocrinien avec le point hypophyse, au centre de l'empreinte digitale des deux gros orteils.

MAUX DE GORGE

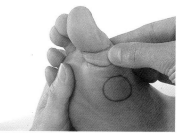

**1** Travaillez le système lymphatique supérieur, puis stimulez la zone de la gorge à la base de l'orteil et le thymus pour le système immunitaire.

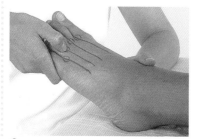

**3** Travaillez le système lymphatique supérieur, pour stimuler le système immunitaire.

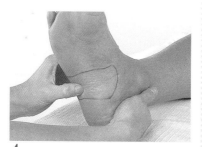

**4** Stimulez la zone de l'intestin grêle (élimination des toxines et absorption des nutriments). Stimulez la zone du côlon (élimination).

**2** Stimulez les zones de la trachée et du larynx, pour faciliter le processus de guérison.

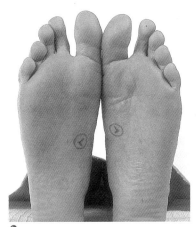

**3** Rotation du pouce sur les surrénales, dans le sens de la flèche.

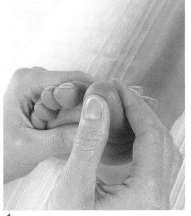

**1** Stimulez les points réflexes des sinus, sur les orteils, pour déclencher le processus de guérison.

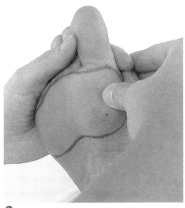

**2** Stimulez toute la zone de la poitrine pour aider la respiration.

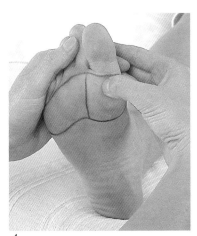

**4** Stimulez la région thyroïdienne dans la zone de la poitrine, sous le gros orteil. Stimulez ensuite toute la zone de la poitrine (système respiratoire).

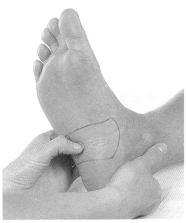

**3** Pression profonde du pouce sur la valvule iléo-cæcale pour régulariser la sécrétion de mucus.

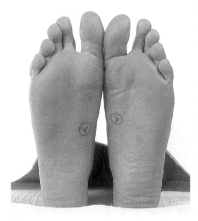

**4** Rotation du pouce sur le point réflexe des surrénales pour réduire l'inflammation.

# AMÉLIORER LA DIGESTION

Le système digestif est très complexe et ses fonctions sont nombreuses et variées.
Le stress et les tensions entravent facilement son bon fonctionnement. Dans le contexte
d'un massage réflexe complet, vous pouvez insister sur les zones suivantes.

INDIGESTION

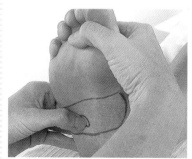

**1** Stimulez le plexus solaire pour relaxer les nerfs de l'estomac.

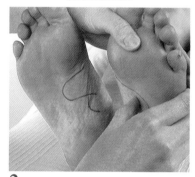

**2** Stimulez la zone de l'estomac, où commence la digestion.

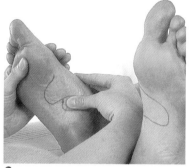

**3** Stimulez le duodénum, première section de l'intestin grêle.

**4** Stimulez le foie et la vésicule avec une rotation du pouce sur le point de la vésicule (digestion des graisses). La zone du foie est illustrée ci-dessus.

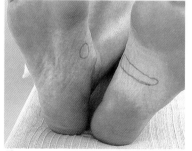

**5** Stimulez le pancréas, qui contrôle le taux de sucre dans le sang et facilite la digestion.

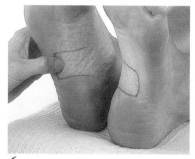

**6** Stimulez l'intestin grêle où sont absorbés les nutriments. En cas de ballonnements, travaillez le côlon (voir la constipation, page suivante).

CONSTIPATION

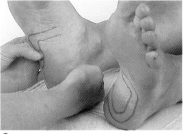

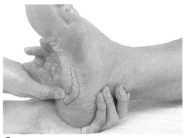

**1** Stimulez le diaphragme pour détendre l'abdomen.

**2** Effectuez une pression profonde du pouce sur la valvule iléo-cæcale qui relie l'intestin grêle au gros intestin.

**3** Stimulez le côlon ou gros intestin, et plus particulièrement le côlon descendant et l'anse sigmoïde qui sont souvent congestionnés.

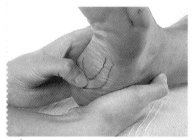

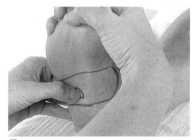

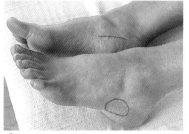

**4** Pratiquez une pression profonde du pouce sur la zone du sigmoïde. L'anse sigmoïde, formant un coude, est souvent congestionnée.

**5** Stimulez la zone du foie, illustrée ci-dessus, et la vésicule avec une rotation du pouce sur le point de la vésicule.

**6** Stimulez la zone du bas de la colonne vertébrale, pour augmenter l'influx nerveux du côlon.

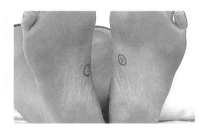

**7** Stimulez les glandes surrénales pour le tonus musculaire. Rotation du pouce sur le point réflexe dans la direction des flèches.

AUTOMASSAGE

Travaillez le diaphragme pour relâcher l'abdomen et stimulez les points réflexes correspondant à ceux du pied.

# CARTE
## DES PIEDS

Ces schémas des zones et points réflexes des pieds doivent être considérés comme un simple guide. Lorsqu'une région du pied est congestionnée et sensible, vous pouvez la rechercher sur la carte appropriée et déterminer approximativement le point ou la zone réflexe correspondant. Les schémas ne peuvent être que d'une aide sommaire, les pieds étant différents d'une personne à l'autre et aucun n'ayant exactement la forme des pieds présentés sur ces pages. De plus, les cartes sont en deux dimensions, ce qui n'est pas le cas pour les points réflexes qui, comme votre corps, sont tridimensionnels. En réalité, vos organes se superposent alors que les schémas, pour plus de clarté, sont simplifiés. Ils donnent néanmoins une idée approximative de l'emplacement des zones et des points réflexes.

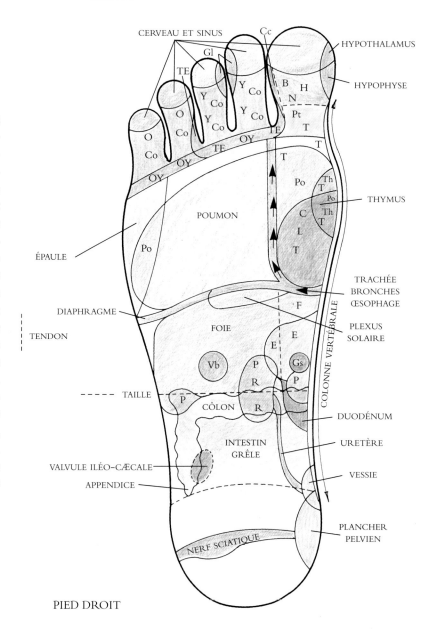

PIED DROIT

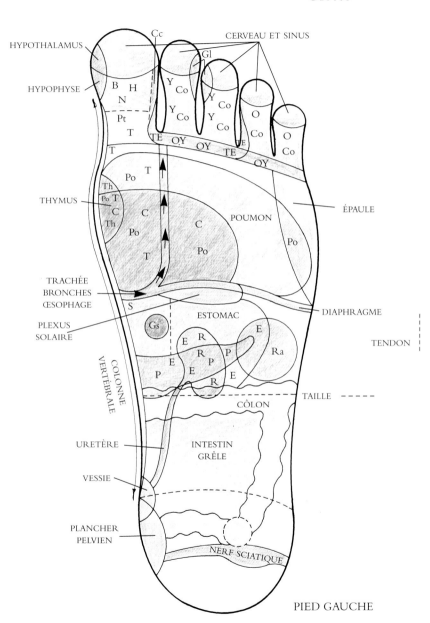

HYPOTHALAMUS

Cc

CERVEAU ET SINUS

Gl

HYPOPHYSE

B H
N
Pt
T

Y Co
Y Co
Y Co

Y Co
Y Co

O Co

O Co

TE OY OY
OY TE
TE
OY

ÉPAULE

THYMUS

T Po
Th Po T
Th C
C Po
T

C
Po
Po

POUMON

TRACHÉE
BRONCHES
ŒSOPHAGE

S

DIAPHRAGME

PLEXUS
SOLAIRE

Gs

ESTOMAC

E R
E R
E R P
E P
P E
R

E
Ra
E

TENDON

COLONNE
VERTÉBRALE

TAILLE -----

CÔLON

URETÈRE

INTESTIN
GRÊLE

VESSIE

PLANCHER
PELVIEN

NERF SCIATIQUE

PIED GAUCHE

LÉGENDES

B : Bouche
C : Cœur
Cc : Côté du cou
Co : Cou
E : Estomac
F : Foie
Gl : Glandes lacrymales
Gs : Glandes surrénales
H : Hypophyse
N : Nez
O : Oreilles
OY : Oreilles et Yeux
P : Pancréas
Po : Poumons
Pt : Parathyroïde
R : Reins
Ra : Rate
T : Thyroïde
TE : Trompes d'Eustache
Th : Thymus
Vb : Vésicule biliaire
Y : Yeux

# Dessus et côtés du pied

La zone réflexe de la colonne vertébrale (ci-dessous) doit toujours être soigneusement massée et stimulée. Si l'épine dorsale constitue l'ossature du corps, elle abrite aussi la moelle épinière et à travers le système nerveux central, le corps tout entier peut être traité sur la zone vertébrale.

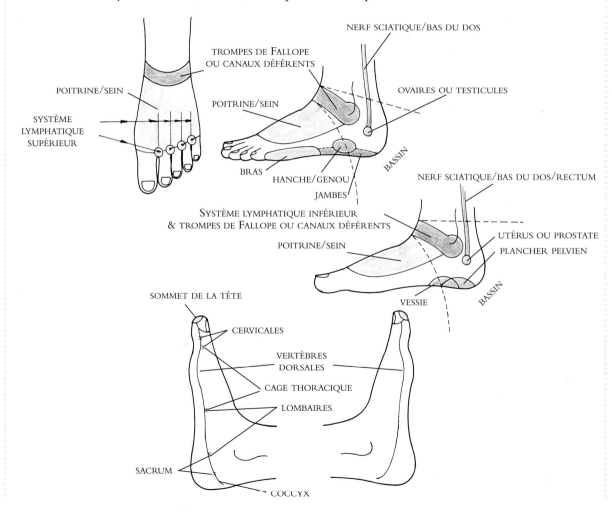

# CARTE DES MAINS

Les mains représentent le corps entier, tout comme les pieds. Leur forme est très différente de celle des pieds mais lorsque vous aurez appris le schéma de base, il vous sera facile de trouver les points réflexes. Utilisez les points et les zones réflexes des mains quand il vous est impossible de travailler sur les pieds, pour une raison ou une autre, lorsque la main est plus accessible par exemple, ou que les pieds sont accidentés ou malades.

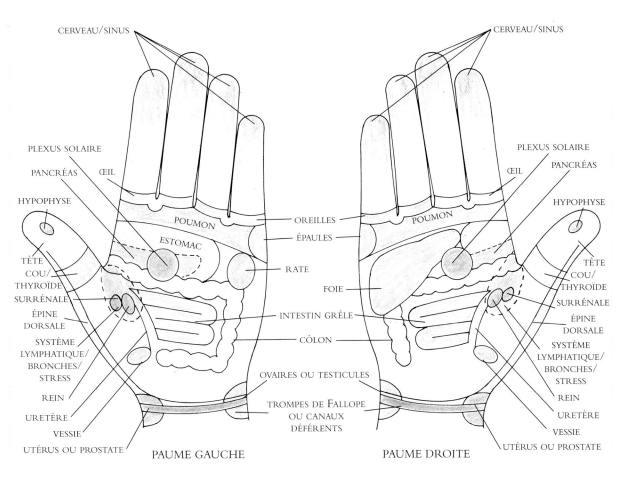

CERVEAU/SINUS

CERVEAU/SINUS

PLEXUS SOLAIRE

PANCRÉAS

ŒIL

HYPOPHYSE

POUMON

OREILLES

ÉPAULES

POUMON

PLEXUS SOLAIRE

PANCRÉAS

ŒIL

HYPOPHYSE

ESTOMAC

TÊTE
COU/
THYROÏDE
SURRÉNALE

ÉPINE
DORSALE

SYSTÈME
LYMPHATIQUE/
BRONCHES/
STRESS

REIN

URETÈRE

VESSIE

UTÉRUS OU PROSTATE

RATE

FOIE

INTESTIN GRÊLE

CÔLON

OVAIRES OU TESTICULES

TROMPES DE FALLOPE
OU CANAUX
DÉFÉRENTS

TÊTE
COU/
THYROÏDE

SURRÉNALE

ÉPINE
DORSALE

SYSTÈME
LYMPHATIQUE/
BRONCHES/
STRESS

REIN

URETÈRE

VESSIE

UTÉRUS OU PROSTATE

PAUME GAUCHE

PAUME DROITE

# INDEX